Andrea Holzer-Rhomberg

Fiedel Max

Schule für Viola

1

Klavierbegleitung

Andrea Holzer-Rhomberg, geboren in Baden bei Zürich und wohnhaft in Vorarlberg (Österreich), absolvierte ihr Studium am Mozarteum in Salzburg und an der Musikhochschule Wien. Es folgte eine rege Konzerttätigkeit als Mitglied diverser Kammerorchester im In- und Ausland. Sie verfügt über langjährige Unterrichtserfahrung in den Fächern Violine, Viola und Streicherensembles. In ihrer pädagogischen Arbeit verpflichtet sie sich nachhaltig den Grundsätzen der Ganzheitlichkeit und Anschaulichkeit. Im Rahmen des Streicher-Gruppenunterrichtes verbindet sie das frühinstrumentale Lernen mit einer elementaren Orchestererziehung.

Impressum

VHR 3826 / ISMN 979-0-2013-2736-5 / ISBN 978-3-940069-21-4

Zeichnungen:
Ulrich Velte Design + Illustration, Hamburg

Umschlaggestaltung:
Gerhard Illig Kommunikation, Schwaig

Satz:
Regina Krauß, Speyer

www.holzschuh-verlag.de
www.fiedel-max.de

Vorwort

Zu jedem Band des Viola-Schulwerkes „Fiedel-Max“ gibt es Aufnahmen, die dem Kind auch außerhalb des Unterrichts eine Klangvorstellung der Musikstücke vermittelt und ein Musizieren mit Klavierbegleitung ermöglicht. Das gemeinsame Musizieren mit „lebendigen“ Spielpartnern ist aber einem technischen Medium – sofern möglich – vorzuziehen.

Aus diesem Grund ist es mir ein Anliegen, jeden Band des Schulwerkes mit einer Ausgabe, in der die Klavierbegleitungen enthalten sind, zu vervollständigen. So können auch verschiedene Ausdrucksmöglichkeiten der einzelnen Musikstücke ausprobiert werden, was den Kindern großen Spaß macht!

Die Klaviersätze sind vom Schwierigkeitsgrad her so konzipiert, dass sie auch von Klavierschülern mühelos bewältigt werden können.

Feldkirch 2023
Andrea Holzer-Rhomberg

Inhalt

2. Geburtstagslied

Frisch

A. Holzer-Rhomberg

Al - les Gu - te zum Ge - burts - tag,
al - les Gu - te wünsch ich dir! Spiel ein Ständ - chen
auf der Brat - sche mit Be - glei - tung am Kla - vier!

3. Glockenklang

Ruhig

A. Holzer-Rhomberg

Glo - cken - klang,
Nacht - ge - - sang,
klingt ganz
leis den Fluss ent - - - lang.

4. Himpelchen und Pimpelchen

M.: A. Holzer-Rhomberg
T.: Traditional

Flott
sempre stacc.
Him-pel-chen und Pim-pel-chen, die stie-gen auf 'nen Berg.
Him-pel-chen war Hein-zel-mann und Pim-pel-chen ein Zwerg.
Blie-ben o-ben lan-ge sit-zen, hat-ten ro-te Zip-fel-müt-zen.
Doch nach sie-ben lan-gen Wo-chen sind sie in den Berg ge-kro-chen,

10
schla - fen dort in sel' - ger Ruh. Seid fein still und hört gut zu!

5. Rinaldo Ringelwurm

A. Holzer-Rhomberg

Fröhlich
Ich bin Ri-nal - do Rin - gel-wurm,

5
wohn dort auf der Wie - se. Im - mer - zu, da lach ich,

8
lau - ter Scher-ze mach ich, sag, ich wär ein star - ker Rie - se.

6. Die alte Dampflok

A. Holzer-Rhomberg

Heut wolln wir mit der Dampf - lok fahrn
durch die grü - nen Fel - der. Erst fährt sie noch ganz flott vo - ran, doch dann keucht sie,
pus - tet schwer den Berg hi - nan und dann geht's wie - der berg - ab, juch - hee, durch die bun - ten
Wäl - der. Uns - re fröh - li - che Dampf - lok fährt jetzt heim durch die Fel - der.

7. Versunken im Tanz

A. Holzer-Rhomberg

Tanz, Brü - der - lein, tanz,
6
Schwes - ter - lein, dreh dich im Krei - - - - se,
11
hör auf die Mu - sik, denn sie schickt
15
dich auf ei - ne Rei - - - - - se!

8. Der Nachdenkliche

A. Holzer-Rhomberg

All - zeit fröh - lich sein, ja
das kann we - der ich noch du, manch - mal
ist man still und nach - denk - lich, will sei - ne Ruh.

9. Der Clown

A. Holzer-Rhomberg

Tollpatschig
Klit - ze - klei - ne Tip - pel - schrit - te macht der Clown und die Kin - der

6
la - chen, dann schlägt er ein Rad, man glaubt es kaum, dass die Büh-nen-bret-ter kra - chen.

10. Trixis Tango

A. Holzer-Rhomberg

Tänzerisch
Heu - te, da tanz ich Tan - go,

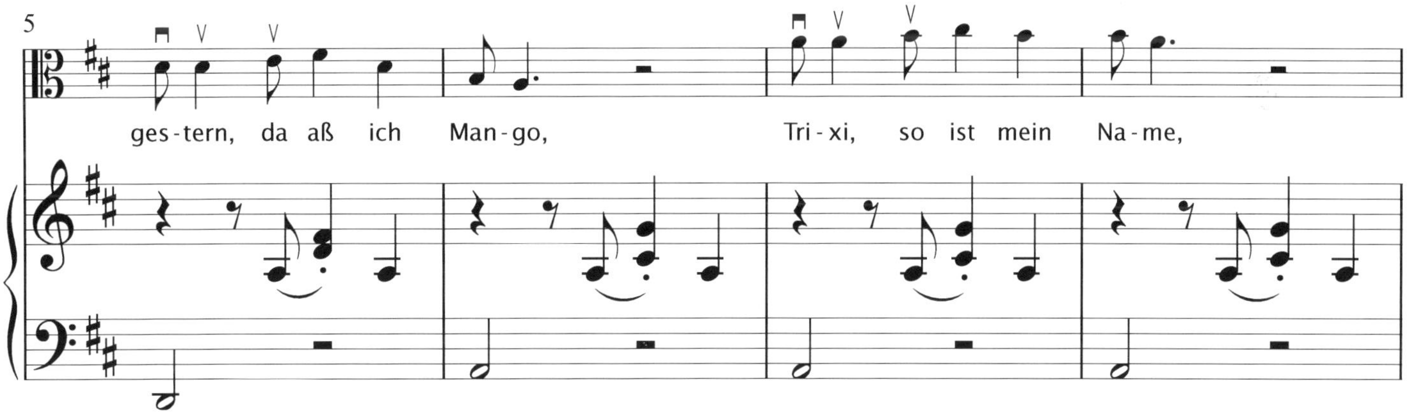
5
ges - tern, da aß ich Man - go, Tri - xi, so ist mein Na - me,

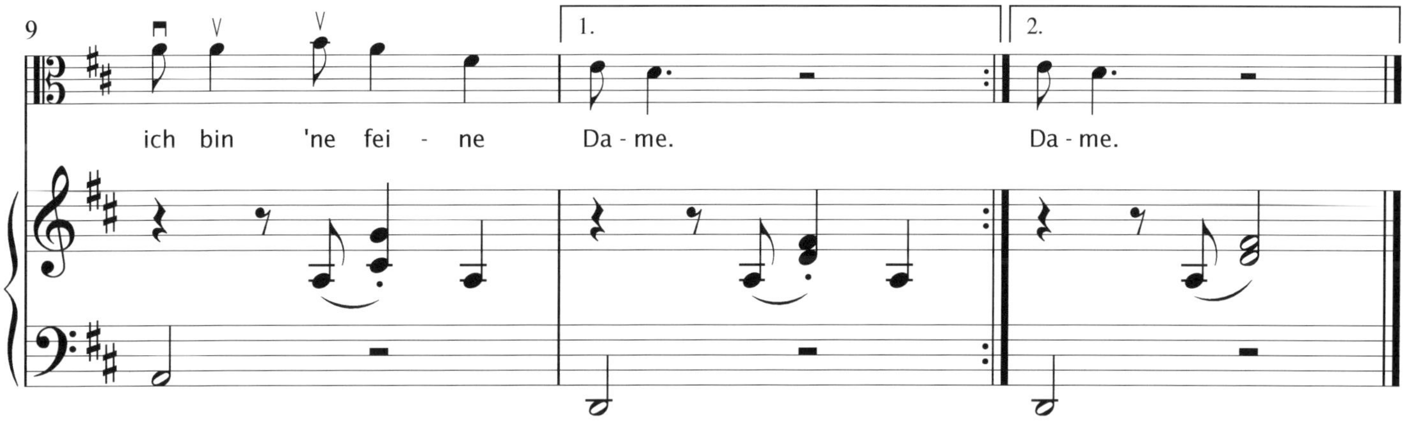
9
1.
2.
ich bin 'ne fei - ne Da - me. Da - me.

11. Nach dem Winterschlaf

A. Holzer-Rhomberg

Lang - sam schlägt der Bär die Au - gen jetzt auf.
6
Vor - sich - tig blin - zelt er, gähnt und be - wegt sich und
8
reckt sich und streckt sich und steht lang - sam auf.
10
Auch die klei - nen Bä - ren - kin - der wer - den mun - ter nach dem Win - ter,

12
krab - beln un - ge - dul - dig aus der Höh - le hi - naus.
14
Wel - che Won - ne, war - me Son - ne, und die Welt er - wacht wie-derneu.
18
Und die Bä - ren - kin - der lau - fen, wol - len spie - len, wol - len rau - fen,
20
freu - en sich, denn end - lich ist der Win - ter vor - bei.

12. Das Füchslein

A. Holzer-Rhomberg

Flott
Tief im Wal-de wohnt ein hung-rig Füchs-lein, möcht gern Hüh-ner
6
ja - gen. Schleicht sich ei-nes Nachts zum Hüh - ner - stall, doch gar laut knurrt sein
10
Ma - gen. Da er-wacht der Bau - er, ver - treibt das Füchs-lein schnell.
15
Ob sich wohl das Füchs-lein noch ein - mal zum Hüh - ner - stall wird wa - gen?

13. Der Seiltänzer

A. Holzer-Rhomberg

legato
Auf dem Seil, da
4
tanzt er e - le - gant, der Ar - tist, be - kannt im gan-zen Land,
7
ja, die Kin - der sehn ihm zu und sind ge - bannt.

14. Willi Wanderwichtel

A. Holzer-Rhomberg

Lebhaft

An den Fü - ßen trägt er
Wan - der - schuh, stets mar - schiert er wei - ter
oh - ne Ruh. Wil - li Wan - der - wich - tel heißt er, durch die fer - nen
Län - der reist er, und er lä - chelt freund - lich im - mer - zu.

16. Die Laterne

Aus wendetechnischen Gründen steht die Nr. 16 vor der Nr. 15.

A. Holzer-Rhomberg

Mit Wärme

6
10
14
Leuch - te, La - ter - ne, mit hel - lem Schein!
Dein war - mes Licht, das strahlt gar so fein.
In wie vielen dunklen Stun - den trägt dein Leuchten Freu - de in die Welt hi - nein,
leuch - te, La - ter - ne, mit gül - de - nem Schein!

15. Wenn es Abend wird

A. Holzer-Rhomberg

Ruhevoll
Wenn es lang - sam
dun - kel wird am A - - - bend - - - -
him - - - mel, wenn du hörst der
A - bend - glo - cken leis Ge - - -

17
bim - - - mel, wenn die Ster - ne
21
leuch - ten und der Mond hält
25
Wacht, ja dann, ja dann wünsch ich
30
dir gu - - - - - te Nacht.

17. Wiegenlied

Lieblich

A. Holzer-Rhomberg

Ein Wie - gen - lied
con Ped.
6
lieb - lich er - klingt, die Mut - ter, die wie - get ihr
11
Kind, dem Kind - lein, dem fal - len die Äu - ge - lein
16
zu und dann schläft es in se - li - ger Ruh.

18. Das flinke Wiesel

A. Holzer-Rhomberg

Spritzig
Wer späht hin-term Ge-büsch her-vor, nichts bleibt ihm ver-bor-gen, 's ist das flin-ke Wie-sel, wach ist sein Ohr, schnee-weiß ist sein Fell.
Noch ist's dun-kel, die Nacht war lang, schlei-chend kommt der Mor-gen,
flin-kes Wie-sel, hör der Vö-gel Ge-sang, bald schon wird es hell!

19. Der Schmetterling

A. Holzer-Rhomberg

Anmutig
Schmet-ter-ling, so fein, liebt Son-nen-schein,
spannt die Flü-gel weit, macht sich be-reit, flat-tert nun ge-schwind,
wiegt sich im Wind, wie ein himm-lisch' Kind!

20. Wilma Watschelente

A. Holzer-Rhomberg

Lustig

6
11
15
Sieh mal an, wer wat - schelt da so lus - tig durch die
grü - ne Wie - se? Es ist Wil - ma Wat - schel - en - te, die da wat - schelt durch das Gras.
Geht zum En - ten - teich da drü - ben, denn dort will sie sich ver - gnü - gen,
will dort ba - den, plan - schen, tau - chen, denn sie liebt das küh - le Nass.

21. Kleine Improvisation

A. Holzer-Rhomberg

23. Festtagsmusik

Aus wendetechnischen Gründen steht die Nr. 23 vor der Nr. 22.

A. Holzer-Rhomberg

Feierlich
Ja, heut ist ein gro-ßer Fest-tag, heut fin-det ein gro-ßes
Fest statt, Ver-gnü-gun-gen al-ler Ar-ten auf un-se-re Gäs-te war-ten. Die
Her-ren sind fein ge-klei-det, manch ei-ner sie drum be-nei-det, die
Da-men, die sind be-schwingt, wenn die Fest-tags-mu-sik er-klingt.

22. Sommertag am See

A. Holzer-Rhomberg

Heiter
Glit - zert das Was - ser im
4
Son - nen - licht hel - le und fun - keln die Trop - fen wie Ster - ne,
7
flim-mert die Luft in der Hit - ze des Ta - ges, ja dann ist der Som - mer da.
11
Rein in die küh - len - den Wel - len stür - zen sich Kas - par und

14
El - len, schwim-men und tau-chen mit Won - ne,
17
trock-nen sich dann an der Son - ne. Glit-zert das Was-ser im
20
Son-nen-licht hel - le und fun-keln die Trop-fen wie Ster - ne,
23
flim-mert die Luft in der Hit-ze des Ta-ges, ja dann ist der Som - mer da.

24. Der Leierkastenmann

A. Holzer-Rhomberg

Pesante
1. Lei - er - kas - ten -
2. Fröh - lich dreh ich
con Ped.
4
mann, so heiß ich, an der Kur - bel dreh ich flei - ßig,
im - mer wei - ter, denn Mu - sik, die macht mich hei - ter,
7
lock aus mei - nem Lei - er - kas - ten ei - ne hüb - sche Me - lo - die.
Le - bens - freud will ich ver - brei - ten mit 'ner klei - nen Sin - fo - nie.

25. Das Zupf-Lieschen

A. Holzer-Rhomberg

Spritzig *pizzicato*

26. Die Gondelfahrt

A. Holzer-Rhomberg

27. Reel

A. Holzer-Rhomberg

28. Kikis Katzentanz

A. Holzer-Rhomberg

Tänzerisch
Ein - mal hoch, ein - mal tief, schwing das
Tätz - chen, klei - nes Kätz - chen, ein - mal hoch, ein - mal tief, heb das
Schwänz - chen hoch zum Tänz - chen, ein - mal hoch, ein - mal tief, dreh ganz
lei - se dich zur Wei - se im - mer - zu, im - mer - zu im Krei - - - - se.

29. Zum Geburtstag viel Glück

Musik: Frank Daniel, nach Mildred J. Hill
Text: Egon L. Frauenberger

Zum Ge - burts-tag viel Glück, zum Ge - burts-tag viel
6
Glück, zum Ge - burts - tag, lie - be(r) … …, zum Ge - burts-tag viel Glück!

30. Diedeldei

A. Holzer-Rhomberg

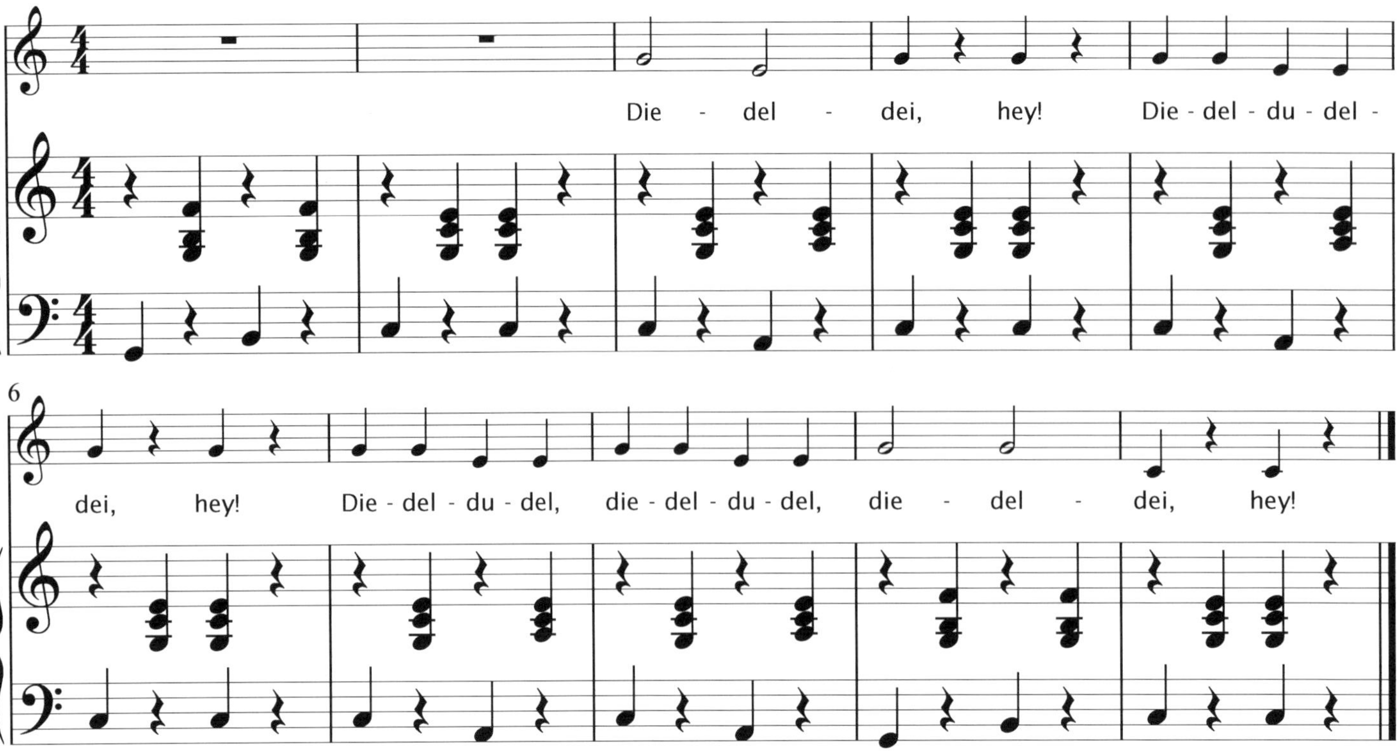
Die - del - dei, hey! Die - del - du - del -
6
dei, hey! Die - del - du - del, die - del - du - del, die - del - dei, hey!

31. Klopf-Liedchen

A. Holzer-Rhomberg

Ich klop - fe an den Brat - schen - kor - pus, klop - fe im - mer -
6
zu, bald kann ich mit Vi - bra - to spie - len, das lern ich im Nu!